LA TENTATION DE SAINT ANTOINE

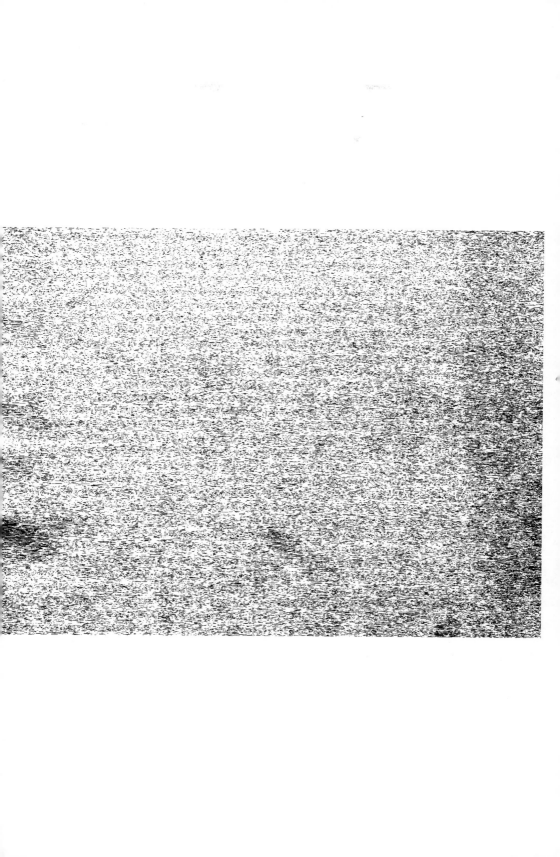

La Tentation de Saint-Antoin

Féerie à grand spectacle

en 2 actes et 40 tableaux

PAR

HENRI RIVIÈRE

REPRÉSENTÉE POUR LA PREMIÈRE FOIS SUR LE THEATRE DU *CHAT NOIR*

Le 28 décembre 1887

MUSIQUE NOUVELLE ET ARRANGÉE DE

MM. ALBERT TINCHANT ET GEORGES FRAGEROLLE

E. PLON, NOURRIT ET Cⁱᵉ, IMPRIMEURS-ÉDITEURS, RUE GARANCIÈRE, 8 ET 10, PARIS

ACTE PREMIER

LE DÉSERT DE LA THÉBAÏDE

(A. Tinchant.)

4

ARACHNÉ

(*Les Noces de Jeannette*, Victor Massé. —
Léon Grus, éditeur.)

LE SABBAT

(*Marche de Szabady*, Jules MASSENET. — HARTMANN et Cᵢᵉ, éditeurs-propriétaires.)

LA VILLE-LUMIÈRE

(A. Tinchant.)

LA GOURMANDISE — I. LES HALLES

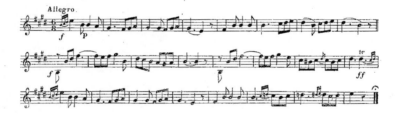

(*La Fille de madame Angot;* Lecocq. —
Brandus, éditeur.)

LA GOURMANDISE — II. LE VIN. CORTÉGE DE SILÈNE ET DE BACCHUS

(A. Tinchant.)

LA GOURMANDISE — III. LE VIN. CORTÉGE DE SILÈNE ET DE BACCHUS (SUITE)

(A. TINCHANT.)

17

L'AVARICE — I. LE JEU

Moderato con grazia.

(A. Tinchant.)

L'AVARICE — II. LE VEAU D'OR

(A. Tinchant.)

L'AVARICE — III. LA BOURSE

(*Faust*, Gounod. — Choudens père et fils, éditeurs.)

L'ORGUEIL

Tempo di Marcia.

(*En Revenant de la revue*, polka-marche par L. C. Desormes. —
L. C. Desormes, éditeur, 53, rue des Vinaigriers.)

LA SCIENCE

LA SCIENCE

II

(A. Tinchant.)

LA MER

I

(A. Tinchant.)

LA MER. — II. ATLANTIDE

(A. Tinchant.)

32

33

LE CIEL

I

ANTOINE.

Ah! plus haut! plus haut! toujours!

... Les astres se multiplient, scintillent. La Voie lactée au zénith se développe comme une immense ceinture, ayant des trous par intervalles; dans ces fentes de sa clarté, s'allongent des espaces de ténèbres. Il y a des pluies d'étoiles, des traînées de poussière d'or, des vapeurs lumineuses qui flottent et se dissolvent.

Quelquefois une comète passe tout à coup; — puis la tranquillité des lumières innombrables recommence.....

(Gustave FLAUBERT, *la Tentation de saint Antoine*.)

LE CIEL

37

LE CIEL

III

ritardendo.

(_Rêverie_, R. SCHUMANN.)

CORTÉGE ET DÉFILÉ DE LA REINE DE SABA

(Musique de Georges FRAGEROLLE.)

MARCHE. *Ben sostenuto* Andantino quasi Allegretto

CORTÉGE ET DÉFILÉ DE LA REINE DE SABA (SUITE)

CORTÉGE ET DÉFILÉ DE LA REINE DE SABA (SUITE)

CORTÉGE ET DÉFILÉ DE LA REINE DE SABA (SUITE)

CORTÉGE ET DÉFILÉ DE LA REINE DE SABA (SUITE)

CORTÉGE ET DÉFILÉ DE LA REINE DE SABA (SUITE)

CORTÉGE ET DÉFILÉ DE LA REINE DE SABA (SUITE)

CORTÉGE ET DÉFILÉ DE LA REINE DE SABA (SUITE)

CORTÉGE ET DÉFILÉ DE LA REINE DE SABA (SUITE)

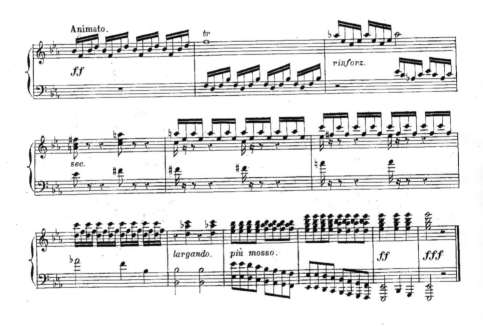

LA REINE DE SABA ET SAINT ANTOINE

LA REINE DE SABA.

...Si tu posais ton doigt sur mon épaule, ce serait comme une traînée
de feu dans tes veines. La possession de la moindre place de mon corps
t'emplira d'une joie plus véhémente que la conquête d'un empire. Avance
tes lèvres! mes baisers ont le goût d'un fruit qui se fondrait dans ton
cœur! Ah! comme tu vas te perdre sous mes cheveux, humer ma poitrine, t'ébahir de mes membres, et brûlé par mes prunelles, entre mes
bras, dans un tourbillon.....
(Antoine fait un signe de croix.)
(GUSTAVE FLAUBERT. — La Tentation de saint Antoine.)

LA REINE DE SABA TENTE SAINT ANTOINE

LA REINE DE SABA.

Je t'ai apporté tes cadeaux de noces. Choisis. Voici du baume de Génézareth, de l'encens du cap Gardefan, du ladanon, du cinnamome, et du silphium bon à mettre dans les sauces. Il y a là dedans des broderies d'Assur, des ivoires du Gange, de la pourpre d'Élisa; et cette boîte de neige contient une outre de chalibon, vin réservé pour les rois d'Assyrie, — et qui se boit pur dans une corne de licorne. Voilà des colliers, des agrafes, des filets, des parasols, de la poudre d'or de Baasa, du caselleros de Tartessus, du bois bleu de Pandio, des fourrures blanches d'Issédonie, des escarboucles de l'île Palœsimonde et des curedents faits avec les poils du tachas, — animal perdu qui se trouve sous la terre. Ces coussins sont d'Emath, et ces franges à manteau, de Palmyre. Sur ce tapis de Babylone, il y a..... Mais viens donc! viens donc! Ce tissu mince qui craque sous les doigts avec un bruit d'étincelles, est la fameuse toile jaune apportée par les marchands de la Bactriane. Il leur faut quarante-trois interprètes dans leur voyage. Je t'en ferai faire des robes que tu mettras à la maison.....

(Gustave FLAUBERT. — *La Tentation de saint Antoine*.)

VALSE.

BALLET

(Passe-pied du *Roi s'amuse*; Léo DELIBES. —
Henri HEUGEL, éditeur.)

(Pizzicati de *Sylvia*; Léo DELIBES. —
Henri HEUGEL, éditeur.)

LES DIEUX SCANDINAVES. — ODIN ET LES WALKYRIES

(*La Chevauchée des Walkyries*, R. WAGNER. —
P. SCHOTT, éditeur.)

APOLLON

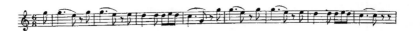

(Air populaire.)

LES MUSES

(*Orphée aux Enfers*; OFFENBACH. —
Henri HEUGEL, éditeur.)

73

L'OLYMPE

(*Orphée aux Enfers*; OFFENBACH. —
Henri HEUGEL, éditeur.)

LES DIEUX ÉGYPTIENS

(A. Tinchant.)

VISCHNOU AVEC LASKMI ASSIS SUR LE SERPENT ANANTA

:. Une mer de lait, immobile et sans bornes.

Au milieu, flotte un long berceau, composé par les enroulements d'un serpent dont toutes les têtes, s'inclinant à la fois, ombragent un dieu endormi sur son corps.

Il est jeune, imberbe, plus beau qu'une fille et couvert de voiles diaphanes. Les perles de sa tiare brillent doucement comme des lunes, un chapelet d'étoiles fait plusieurs tours sur sa poitrine ; — et, une main sous la tête, l'autre bras étendu, il repose, d'un air songeur et enivré.

Une femme accroupie devant ses pieds attend qu'il se réveille.

. . . .

Sur le nombril du dieu, une tige de lotus a poussé ; et, dans son calice, paraît un autre dieu à trois visages.

(Gustave FLAUBERT, *la Tentation de saint Antoine*.)

(A. TINCHANT.)

LE BUDDHA

(A. Tinchant.)

LES DIEUX JAPONAIS .

(D'après Ho-Kou-Saï et Ko-Rin.)

(A. Tinchant.)

LE DÉSERT DE LA THÉBAÏDE : MUSIQUES CÉLESTES

(*Venite adoremus*, HAYDN.)

APOTHÉOSE

(*Faust*, Ch. GOUNOD. — CHOUDENS père et fils, éditeurs.)

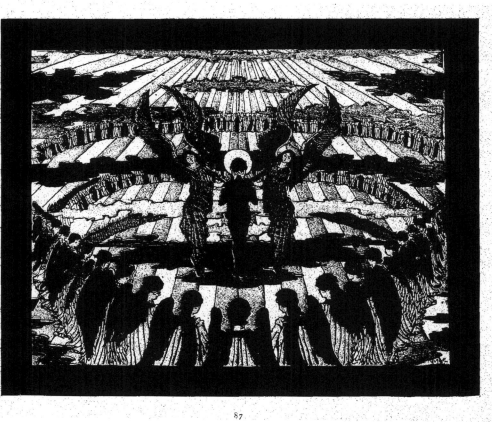

28974

PARIS. TYPOGRAPHIE DE E. PLON, NOURRIT ET Cⁱᵉ, RUE GARANCIÈRE, 8.

Imprimé en France
FROC021507160620
24292FR00009B/84